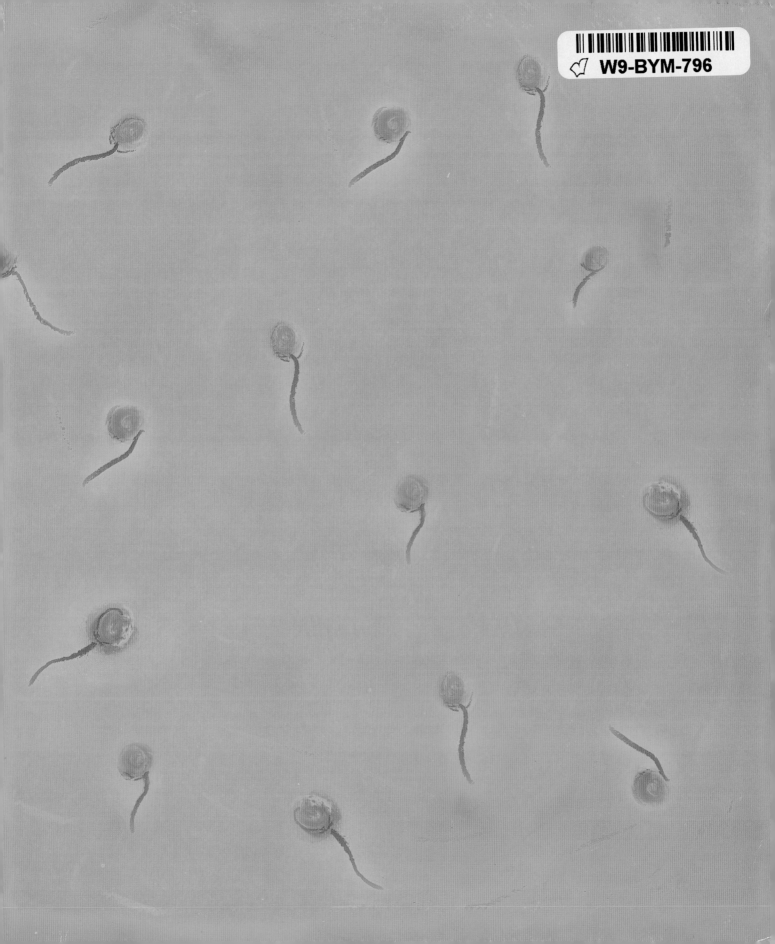

아이들에게 재미있는 동화로
좋은 버릇, 바른 생각을 길러 주세요.

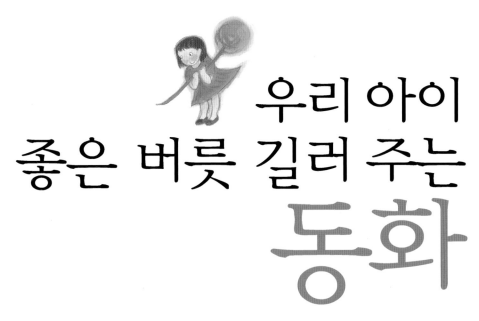

우리 아이
좋은 버릇 길러 주는
동화

글 최재숙   그림 김유대 김태미 김현정 백은희 이수정 이혜경 정지용 홍성지

삼성출판사

차 례

우리 집 오는 길은
너무 재미있어!

사르르륵! 주루룩!

주루루룩! 털퍽!

사랑이는 쌓아 놓은 모래 언덕 위에 올라가

배를 깔고 미끄럼을 타고 내려옵니다.

"모래 미끄럼 타기는 너무 재미있어!"

찰팍찰팍! 철퍽철퍽! 철퍼덕!

사랑이는 고인 빗물 위를 걸어가며 발장구를 칩니다.

"빗물 속에서 걷는 건 너무너무 재미있어!"

사랑이는 젖은 양말을 벗어서 나뭇가지에 걸쳤어요.

부릉부릉!

질질질질 털퍽! 질질질질 철커덕!

사랑이는 유치원 가방에다 젖은 운동화를 쑤셔 넣고

땅에다 가방을 질질 끌면서 맨발로 타달타달 걸어갑니다.

"자동차 놀이는 정말로 재미있어!"

6

"엄마, 유치원 다녀왔습니다!"
사랑이는 씩씩한 목소리로 인사를 하며 들어갑니다.
"야! 한사랑! 너 또 거지꼴을 만들어 가지고 왔구나!"
엄마가 화를 내시며 사랑이를 번쩍 들어
목욕탕에 집어넣었어요.

"양말은 어쨌니?"
"응, 빨아서 나뭇가지에 널어놓았어요."
"아이고, 이 말썽꾸러기!"
"엄마, 우리 집 오는 길은 정말 재미있어요!"

그림 김현정

8

우리 공주

내가 처음 우리 엄마 뱃속에 살게 되었을 때
우리 엄마가 꿈을 꿨대요.
엄마가 넓은 들판에 앉아 예쁜 꽃을 꺾는 꿈을요.
그때부터 내 이름은 '우리 공주'가 되었지요.

"우리 공주 잘 잤니?"
아침마다 엄마는 뱃속에 있는 나에게 인사했대요.
어떨 때는 재미있는 책도 읽어 주었대요.
또 어떨 때는 음악도 들려 주었고요.
"우리 공주 잘 자라!"
잘 때마다 엄마는 뱃속에 있는 나에게 인사했대요.

분홍색 아기 침대에 분홍색 이불, 엄마 아빠는
온통 분홍색으로 예쁜 아기방도 꾸몄지요.
그리고는 손꼽아 내가 세상에 나오기를 기다렸대요.

10

난 큰 소리로 울며 세상에 나왔대요.
"축하합니다! 씩씩한 왕자님입니다."
의사 선생님의 말씀은 들었지만
옆 침대의 다른 엄마 아기인 줄만 알았대요.
그런데……
"아니, 정말 고추잖아?"
이 세상에 처음 태어난 고추 달린 공주였다나요.

엄마는 지금도 어떨 때는 날 '우리 공주' 라고 부르지요.
"아니야, 난 공주 아니에요!"
내가 화를 내면 엄마는 그제야 웃으며 말씀하시지요.
"아이고, 우리 왕자님!"

그림 홍성지

12

13

곰돌이네 아빠

"우리 아빠는 헤엄 잘 친다!"
개구리가 자랑합니다.
"우리 아빠는 달리기 선수야!"
타조도 자랑합니다.
"우리 아빠는 나무 잘 탄다!"
원숭이가 자랑합니다.
"우리 아빠는, 응……, 우리 아빠는……."
곰돌이는 할말이 생각나지 않았습니다.
"넌 아빠 없잖아?"
원숭이의 말에 곰돌이는
풀이 죽어서 집으로 돌아왔습니다.

14

"엄마, 난 왜 아빠가 없어요?"
엄마는 곰돌이의 얼굴을 가만히 들여다보셨습니다.
"아빠는 하늘나라에 가셨지만 네 속에 계신단다."
엄마가 말씀하셨어요.
"거울을 보렴. 네 모습 속에 아빠 모습이 보일 거야."

곰돌이는 거울을 가만히 들여다보았습니다.
"내 모습 어디에 아빠가 계신 걸까?"
곰돌이는 눈을 부릅떠 봅니다. 혀도 쏙 내밀어 봅니다.
곰돌이는 자기 모습이 우스워 싱긋 웃었습니다.
그때 곰돌이의 웃는 얼굴 속에 아빠 모습이 보였어요.
사진에 있는 아빠의 웃고 계신 바로 그 모습 말이에요.

"엄마, 커다란 아빠가 어떻게 조그만 제 속에 계세요?"
"그러니까 지금은 네 웃는 모습에만 계시는 거야.
이제 네가 크면 네가 걷는 모습에도 계시고,
헤엄치는 모습에도 계시고,
잠자는 모습에도 계실 거야."
곰돌이는 엄마 말씀을 들으면서 마음이 포근해집니다.
"엄마, 엄마도 아빠가 보고 싶죠? 자, 보세요."
곰돌이는 엄마에게 활짝 웃어 보였습니다.

그림 김유대

16

작은 나무와 바람

작은 언덕 위 텅 빈 들판에
작은 나무 한 그루가 서 있었어요.
작은 나무는 바람하고 친구가 되어
살랑살랑 소곤대며 정답게 지냈어요.

작은 나무에 연분홍 예쁜 꽃이 피자
벌과 나비들이 날아왔어요.
"안녕? 반가워."
작은 나무는 기뻤어요.
처음으로 찾아온 벌과 나비 친구들이거든요.

18

작은 나무가 자기보다 벌과 나비들을
더 좋아하는 것 같아 바람은 심술을 부리기 시작했어요.
시커먼 구름이 몰려오고 비바람이 휙휙 몰아치면서
번개가 번쩍이고 천둥이 쳤어요.
　　작은 나무는 정신을 잃고 이리저리 흔들리고
　　　벌과 나비들은 모두 도망쳤어요.
　　　　꽃은 모두 떨어져 버리고
　　　작은 나무는 열매를 맺지도 못한 채 겨울이 왔어요.

　　　이제 작은 나무는 바람과 속삭이지 않았어요.
　　바람은 겨우내 작은 나무를 달래려고 했지만
작은 나무는 입을 꼭 다물고만 있었어요.
"작은 나무야, 미안해. 내가 싫다면 떠날게."
바람은 윙윙 울면서 작은 나무를 떠나갔어요.

20

21.

봄이 오고 작은 나무는 다시 꽃을 피웠어요.
작은 나무는 나비와 벌 친구들을 기다렸어요.
"바람이 떠났는데도 왜 친구들이 오지 않을까?"
작은 나무는 자기 위에 머물러 있는 구름에게 물었어요.
"그건 바람이 네 꽃 향기를 전해 주지 않으니까
꽃이 핀 걸 몰라서 그렇지."
그제야 작은 나무는 바람이 소중한 친구라는 것을 알았어요.

어느 날 작은 나무는 잠에서 깨어
벌과 나비 떼가 날아오는 것을 보았어요.
"어떻게 된 일이지?"
그때 누가 작은 나무를 살며시 흔들었어요.
"바람아, 너 왔구나. 내가 화내서 미안해!"
"아니야, 내가 잘못했어!
너한테는 나비 친구도 벌 친구도
필요하다는 걸 몰랐어.
이젠 나도 나비랑 벌하고도 친하게 지낼게."

작은 나무와 바람은 나비랑 벌하고도 친하게 지냈어요.
그래도 바람은 언제나 작은 나무의 제일 친한 친구예요.
여러분도 나뭇잎이 살랑거리는 소리가 날 때면
작은 나무가 바람과 속삭이고 있다는 것을 알 수 있을 거예요.

그림 이혜경

23

아기하마의 감기

아기하마가 감기에 걸렸어요.
열이 펄펄 나더니 온몸이 빨갛게 변했어요.
"병원에 가야 되겠다."
엄마 말씀에 아기하마는 펄쩍 뜁니다.
"싫어요. 주사는 무서워!"
아기하마는 밖으로 도망쳤어요.

24

25

그네를 타던 친구가 아기하마에게 물었어요.
"너 왜 빨갛게 되었니?"
"별일 아니야. 나도 같이 타게 해 줘."
아기하마가 말했어요.
아기하마는 친구와 같이 그네를 탔어요.

"으아, 난 몰라. 나도 빨갛게 되었어."
친구가 울면서 집으로 가 버렸어요.
아기하마는 미끄럼 타는 친구에게 갔어요.

26

"너 왜 빨갛게 되었니?"
친구가 물었어요.
"별일 아니야."
아기하마는 친구랑 같이 미끄럼을 탔어요.

"이잉, 어떻게 해? 나도 빨갛게 되었어."
그 친구도 울면서 집으로 가 버렸어요.
다른 친구들도 아기하마를 두고
모두 집으로 가 버렸어요.

아기하마는 풀이 죽어서 집으로 돌아갔어요.
"엄마, 친구들이 모두 빨갛게 되었어요."
"자, 어서 병원에 가서 의사 선생님께
다시 예쁜 아기하마로 만들어 달라고 부탁 드리자."

의사 선생님이 진찰을 하셨어요.
"독감입니다. 아무래도 주사를 한 대 맞아야겠어요."
간호사 아저씨가 주사기를 가지고 왔어요.
"엄마, 무서워!"

"너 열까지 셀 줄 아니?"
간호사 아저씨가 물었어요.
"네."
"열까지 세다가 몇 번째에 주사기가 들어갔는지
알아맞히면 아저씨가 사탕 주지."
"하나, 둘, 셋, 넷, 다서-엇!"
다섯 번째에 들어갔어요."
아기하마가 신이 나서 말했어요.
"너는 숫자도 참 잘 세는구나."
간호사 아저씨가 아기하마에게
사탕을 하나 주셨어요.

주사를 맞고 나오니 빨간 친구들이 와 있었어요.
"엇? 너 이제 원래대로 되었네?"
아기하마는 다시 예전처럼 예뻐져 있었어요.
"너희들도 숫자를 잘 세면 원래대로 될 수 있어."
아기하마는 뽐내면서 엄마랑 집으로 돌아갔어요.

그림 김태미

엄마는 허풍쟁이

엄마 말씀은 믿을 수가 없어.
제가 네발로 기어다녔다는 게 말이 돼요?
난 언제나 두 발로 씩씩하게
걸어다녔다니까요.

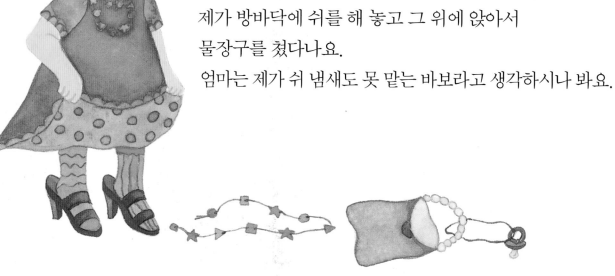

엄마 말씀은 정말 믿을 수가 없어.
제가 누워서 응가를 했다는 게 말이 돼요?
난 언제나 화장실에 가서
얌전하게 변기에 앉아서 응가를 하는데요.

참말이지, 엄마 말씀은 믿을 수가 없어.
제가 방바닥에 쉬를 해 놓고 그 위에 앉아서
물장구를 쳤다나요.
엄마는 제가 쉬 냄새도 못 맡는 바보라고 생각하시나 봐요.

33

나참! 우리 엄마는 정말 허풍쟁이예요.

제가 팬티만 입고 앞집 은수랑 놀았다는 게 말이 돼요?

나같이 예쁜 아가씨가 그럴 수 있다고 생각하세요?

네? 그렇게 생각한다고요?

그럼 우리 엄마랑 똑같은 허풍쟁이시네요.

"그럼 애는 누굴까?"

그림 정지용

34

35

이빨새

"할아버지는 왜 이가 하나밖에 없어요?"
다정이가 열심히 할아버지 얼굴을 들여다보다가 물었습니다.
"이 물어 가는 새가 다 물어 갔지."
"언제요?"
다정이는 더 바싹 할아버지 곁으로 다가앉았어요.
"응, 그건 할아버지가 입을 벌리고 자니까
잠든 사이에 이빨새가 와서 물어 가 버렸지."
"이빨새가 왜 할아버지 이를 물어 갔어요?"
"이제 할아버지가 할머니 곁으로 갈 때가 다 된 게지.
이가 필요 없을 때가 가까워 오니까 하나씩 가져가는 거야."
"이빨새는 이를 가져가서 무얼 하는 거예요?"
"그야, 이가 필요한 아기들한테 가져다 주는 게지."
"할아버지, 이제부터는 입을 꼭 다물고 자요.
그러면 이빨새가 할아버지 이를 못 가져가잖아요."
"그놈 참. 그래, 이제부터 입을 꼭 다물고 자마. 허허허."

어느 날 아침이었어요.
다정이가 방에 들어가자 할아버지가 쓸쓸히 웃으셨어요.
"아니, 할아버지 이가 어디 갔어요?"
"어젯밤에 고만 입을 벌리고 잤구나.
그랬더니 이빨새란 놈이 이를 물어 가 버렸지 뭐냐?"
"이빨새, 이 나쁜 놈!"
다정이는 화가 났어요.

"엄마, 아빠! 이빨새가 할아버지 이를 물어 갔어요."
다정이의 말을 듣고 엄마 아빠는 서로 마주 쳐다보셨어요.
"하나 남은 당신 이를 뽑기 싫어 틀니를 안 하신다더니……,
이제 틀니를 해 드려야겠군."

"아얏!"
동생에게 젖을 물리고 있던 엄마가 갑자기 소리를 질렀어요.
"엄마, 왜 그래요?"
"응, 아기가 이가 나나 보다. 엄마 젖을 깨물었어."
"어디, 어디?"
아기의 아랫잇몸 가운데에 하얀 이 끝이 조금 보였어요.

"할아버지, 할아버지!"
다정이는 할아버지 방으로 달려갔어요.
"이빨새가 할아버지 이를 우리 아기한테 갖다 줬어요."
"그래? 우리 아기한테 이가 필요하다는 걸
이빨새가 알았구나. 허허허."
할아버지는 다정이를 무릎 위에 앉히고
자꾸만 머리를 쓰다듬어 주셨어요.

그림 백은희

40

41

시소도 혼자 타!

"야, 저리 비켜!"
친구들이 그네를 타고 있는데
꿀돌이가 나타나 친구들을 모두 밀쳐 버리고
혼자서 그네를 탑니다.

"야, 모두 비켜!"
친구들이 미끄럼을 타고 있는데
꿀돌이가 나타나 모두 쫓아 버리고
혼자서 미끄럼을 탑니다.

"야, 모두 저리 가!"
친구들이 모래밭에서 성을 만들고 있는데
꿀돌이가 나타나 모두 뭉개 버리고
혼자서 커다란 성을 만듭니다.

"야, 같이 타자!"
친구들이 시소를 타고 있는데
꿀돌이가 나타나 친구를 밀치고 빼앗아 탑니다.

"시소도 혼자 타!"
친구들이 모두 다른 곳으로 가 버립니다.

그림 홍성지

엄마, 무서워!

44

"엄마, 무서워!"
아기가 오늘 또 자다가 베개를 안고
엄마 방으로 뛰어들어왔어요.
"엄마, 무서워! 내 침대 곁에 도깨비가 서 있었어."
"아니야, 도깨비 같은 건 없어."
"전에 그림책에서 본 것하고 똑같이 생겼단 말이에요."
"어디에 있었니? 엄마하고 가 보자."
아기 방에는 아무 것도 없었어요.
"아까는 분명히 있었어요.
머리에 있는 뾰족한 뿔을 봤어요."
"그건 저 나무 그림자야.
자, 엄마가 재워 줄 테니 어서 자거라."

자장자장 우리 아기 새근새근 잘도 자네.
달님도 지켜 주고 별님도 지켜 주네.
도깨비가 나타나면 엄마가 쫓아 줄게.

"엄마, 무서워!"
아기도깨비 까비가 오늘 또 자다가 베개를 안고
엄마 방으로 뛰어들어왔어요.
"엄마, 무서워! 내 침대 옆에 사람이 서 있었어."
"아니야. 사람은 도깨비 가까이에 오지 않는단다."
"엄마가 전에 이야기해 준 것하고 똑같이 생겼단 말이에요."
"어디에 있었니? 엄마하고 가 보자."

까비의 방에는 아무 것도 없었어요.
"아까는 분명히 있었어요. 기다란 두 다리를 봤어요."
"그건 저 나무 그림자야.
자, 엄마가 재워 줄 테니 어서 자거라."

자장자장 우리 까비 꼬박꼬박 잘도 자네.
달님도 지켜 주고 별님도 지켜 주네.
사람이 나타나면 엄마가 쫓아 줄게.

그림 김유대

46

내가 유치원에 간 사이에

'내가 유치원에 간 사이에……
엄마가 날 두고 도망갈지도 몰라.'
"엄마!"
주빈이는 울면서 그냥 집으로 돌아왔습니다.
"왜 그냥 오니?"
엄마는 아무 데도 안 가고 집에 계셨어요.

48.

'내가 유치원에 간 사이에……
나쁜 놈이 엄마를 잡아갈지도 몰라.'
"엄마! 우리 엄마!"
주빈이는 다음날도 울면서 집으로 돌아왔어요.
"왜 또 그냥 오니?"
엄마는 아무한테도 안 잡혀가고
집에 잘 계셨어요.

'내가 유치원에 간 사이에……
우리 집에 불이 났을지도 몰라.
그러면 우리 엄마는?'
"엄마! 엉엉, 우리 엄마! 엉엉."
주빈이는 간식을 먹다가
갑자기 울면서 집으로 왔어요.
"아니, 왜 벌써 와?"
집에는 아무 일도 일어나지 않았어요.

49

내가 유치원에 간 사이에······
엄마는 설거지, 청소, 빨래를 하고 나서
차를 마시면서 신문을 보신대요.
그리고는 내가 오나 밖을 내다보면서
내내 나만을 기다리고 계신대요.

그림 정지용

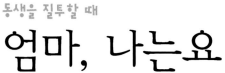

동생을 질투할 때

엄마, 나는요

엄마는 이렇게 말씀하세요.
"동생 먹을 것을 네가 먹으면 되니?"
그러면 왠지 더 먹고 싶어져요.

엄마는 이런 말씀도 하세요.
"얼굴이 그게 뭐니? 동생 봐라.
얼마나 깨끗하고 예쁘니?"
그러면 내 얼굴은 더 미워져요.

엄마는 어떤 때는 이렇게 말씀하세요.
"동생 자는데 조용히 해야지.
동생이 깨면 어떻게 하니?"
그러면 조용히 하려고 하는데도
자꾸만 소리가 나요.

52

엄마는 또 어떤 때는
이런 말씀도 하세요.
"찢어지지 않게 해야지.
나중에 동생도 봐야 하지 않니?"
그러면 조심하는데도
자꾸만 그림책이 찢어져요.

엄마는 늘 말씀하세요.
"동생도 안 우는데 너는 왜 우니?"
그러면 왠지 눈물이 더 나와요.

엄마는 왜 매일 동생 얘기를 하실까요?
그러면 왠지 동생이 싫어져요.
내 동생인데도 말이에요.

어느 날, 내가 말했어요.
"엄마, 형이 안 우니까 동생도 안 울죠?"
"그럼, 동생은 착한 형을 따라한단다."

다른 날, 내가 또 말했어요.
"엄마, 깨끗이 세수했어요. 동생도 씻겨 주세요."
"그래, 동생도 형아처럼 예쁘게 만들어야지."

또 다른 날에는 내가 이렇게 물었어요.
"엄마, 나중에 이 그림책 읽어 주면 동생이 좋아할까요?"
"그럼, 좋아하고 말고."
이 그림책은 동생이 클 때까지 찢어지지 않을 거예요.
내가 아주 조심할거니까요.

54

55

그래서 어느 날, 내가 엄마에게 또 물었어요.
"엄마, 이다음에 동생이 크면 나를 좋아할까요?"
"그럼, 좋아하고 말고."

엄마, 나는요, 내 동생을 좋아해요.

그림 이수정

겁쟁이 수탉 꾸꾸

꾸꾸는 수탉 학교에 다닙니다.
오늘 첫 시간은 노래 시간입니다.
"자, 수탉이 꼭 알아야 할 꼬끼오 노래를 배워 보자.
선생님이 먼저 할 테니 따라해 봐요."

하루 한 번 새벽에 큰 소리로 꼬끼오!
하루 한 번 새벽에 큰 소리로 꾸꾸우!
위험할 때 목청 높여 꼬~끼오! 꼬끼오!
위험할 때 목청 높여 꾸~꾸우! 꾸꾸우!

친구들은 입을 크게 벌려 꼬끼오! 하는데
꾸꾸는 조그맣게 입 안에서 꾸꾸우! 소리만 냈습니다.

58

"아니, 꾸꾸우 소리만 내는 친구가 누구지?"
선생님이 물어 보시자 꾸꾸는 풀이 죽었습니다.
꾸꾸는 아무래도 친구들처럼 멋있는
꼬끼오 노래가 나오지를 않았습니다.

운동 시간에도 마찬가지입니다.
친구들은 홰를 치며 높이 날아오릅니다.
꾸꾸는 도중에 땅으로 떨어질까 봐 겁나서
아예 날아오를 엄두도 못 냅니다.
꾸꾸는 이제 점점 더 자신이 없어져서
무슨 일에든 뒤로 물러나 서 있기만 했습니다.

'꼬꼬는 정말 예뻐!'
꾸꾸는 암탉 친구 꼬꼬를 좋아하면서도
꼬꼬가 다른 친구들과 노는 것을 멀리서 구경만 합니다.

"난 왜 이렇게 바보 같을까?"
어느 날 밤, 꾸꾸는 창문 밖을 내다보며 생각에 잠겨 있었어요.
그때 꾸꾸는 시커먼 도둑고양이가 살금살금
꼬꼬의 집으로 다가가는 것을 보았습니다.
'앗, 꼬꼬가 위험해! 큰일났다. 어떻게 하지?'
꾸꾸는 겁이 나서 벌벌 떨었습니다.
'꼬꼬에게 알려야지. 아니, 다, 다른 친구들에게
모두 알려야지. 그, 그런데 어떻게?'

"꼬끼오! 도둑고양이가 왔다. 꼬끼오!"
꾸꾸는 자기도 모르게 힘껏 소리쳤습니다.
"뭐야? 도둑고양이?"
"어디? 어디?"
"저기 도둑고양이 잡아라!"
친구들이 우르르 달려갔습니다.
도둑고양이는 놀라서 도망쳐 버렸습니다.

63

"꾸꾸가 아니었으면 큰일날 뻔했네!"
"나 같으면 겁이 나서 소리치지 못했을 거야."
친구들이 모두 꾸꾸를 칭찬했습니다.
"꾸꾸야, 고마워. 넌 참 용감해."
꼬꼬도 꾸꾸에게 다정하게 말했습니다.
꼬꼬가 칭찬해 주니 꾸꾸는 왠지 더 힘이 솟는 것 같았습니다.

꾸꾸는 이제 친구들 못지않게 큰 소리로
'꼬끼오 노래'를 잘 할 수 있게 되었습니다.
용기를 내서 해 보니 홰를 치며 날아오르는 것도
그다지 어렵지가 않았습니다.
꾸꾸는 이제 더 이상 겁쟁이 꾸꾸가 아닙니다.

그림 이혜경

65

이다음에 크면

이다음에 크면 나도 아빠처럼 큰 손을 갖게 될 거야.
이다음에 크면 나도 아빠처럼 큰 발을 갖게 될 거야.
이다음에 크면 나도 아빠처럼 키가 클 거야.
이다음에 크면 나도 아빠처럼 수염이 날 거야.
이다음에 크면 나도 아빠처럼 안경을 쓸 거야.
이다음에 크면 나도 아빠처럼 신문을 볼 거야.
이다음에 크면 나도 아빠처럼 양복을 입고,
이다음에 크면 나도 아빠처럼 회사에 갈 거야.

이다음에 크면……
나도 아빠처럼 엄마랑 결혼할 거야.

그림 김현정

마음속의 도깨비

오늘 아침, 화분의 꽃잎이 뜯겨져 있었습니다.
"네가 뜯었니?"
엄마가 동생에게 물어 보셨습니다.
"아뇨, 형아지?"
동생이 나를 쳐다보았습니다.

그런데 낮에 보니 돼지 저금통이
찢겨져 있었습니다.
"네가 이랬니?"
엄마가 나한테 물어 보셨습니다.
"아뇨, 너니?"
난 동생을 쳐다보았습니다.

우리 집에 무슨 일이 생기면,
"난 안그랬어."
"나도 안그랬어."
언제나 아무도 한 사람이 없었지요.

"아무래도 우리 집에 안 보이는 도깨비가 사는가 보다.
그러니 아무도 안 했는데 자꾸만 일이 생기지.
너희들은 그 도깨비가 어디에 있다고 생각하니?"
"몰……라……요. "
"도깨비가 어디에 있는지 알 때까지 방에서 나오지 말아라."
엄마는 화가 나서 방에서 나가셨어요.
저녁때가 되었는데도
엄마는 밥 먹으라고 부르시지 않았어요.

71

갑자기 컴컴해지더니 무시무시한 도깨비가 나타났어요.

"우헤헤헤,

난 이런 날을 기다렸다!"

"도 도깨비닷!

너, 갑자기 어디서 나타났어?"

"나? 너 몰랐니?

난 네 마음속에 살고 있었잖아.

난 네 거짓말을 먹고 살았어. 네가 거짓말할 때마다 커졌지.

이젠 널 잡아먹을 수 있을 만큼 컸단 말씀이야.

우히히히!"

도깨비는 뾰족한 손톱을 세우고 덤벼들었어요.

"악! 엄마, 살려 줘요! 으으으윽!"

그 순간 난 잠을 깼어요.

난 이제 도깨비가 어디 사는지 알았어요.

그래서 엄마께 말씀드렸어요.

"엄마, 잘못했어요. 제가 돼지 저금통 깨서 장난감 샀어요."

"엄마, 제가 꽃잎 뜯었어요."

따라나온 동생도 말했어요.

"엄마, 그런데 제 마음속에 도깨비가 사는 걸 어떻게 아셨어요?"

내가 그렇게 물었더니 엄마는,

"네가 거짓말할 때 입 속에 도깨비 뿔이 조금 보이던 걸?"

하면서 웃으셨어요.

'그거 정말일까?'

그림 홍성지

74

아기 청개구리 초록어

76

나는 아기청개구리 초록이예요.
엄마는 나보고 늘 그러시지요.
"넌 어쩌면 옛날 옛날의
그 할아버지 청개구리를 꼭 닮았니?"
뭐 그 할아버지가 자기 엄마
말을 안 듣고 꼭 반대로만 하다가
자기 엄마를 냇가에 묻어서
비가 올 때마다 울었다나 어쨌다나.
엄마가 닮았다고 하시니 아마
그 말씀이 맞겠지요.

"엄마 시장 갔다 올게. 동생 잘 보고 있어라."
"네, 알았어요. 엄마."
그런데 동생은 정말 사고뭉치라니까요.
그래서 이 형아가 혼내 주지요.

"유치원에서 선생님 말씀 잘 들어야 해."
"네, 알았어요. 엄마."
그렇지만 선생님이 친구들에게 이야기를 해 주시는 동안
갑자기 노래가 너무너무 하고 싶지 뭐예요?
나는 큰 소리로 노래를 부릅니다.
발을 쾅쾅 굴러 박자도 맞추고요.

"넌 어쩌면 옛날의 그 할아버지 청개구리를 꼭 닮았니?"
"맞아요, 엄마. 난 그 할아버지 청개구리를 꼭 닮았어요."
"이 나쁜 녀석! 나가 놀지 말고 방에서 꼼짝 말고 있어."
엄마는 화가 나서 벌을 주셨어요.

78

"어, 나비가 나한테 나오라고 손짓을 하네!"
나는 창문으로 살짝 빠져 나와 나비를 따라갔어요.
나비는 꽃에 앉아 한참 내게 꽃을 보여 주더니
이번에는 숲으로 날아갔어요.
"엄마가 숲은 위험하니 가지 말라고 하셨지만
나비도 가는데 힘센 나야 문제 없지."

숲에는 신기한 것이 많았어요.
알록달록한 버섯도 많고 예쁜 나뭇잎들도 많았어요.
그리고 이건 여러분도 잘 알아 두세요.
숲에는 무서운 뱀이 있었어요.
"엄마, 무서워!"
나는 정신없이 도망쳤어요. 뱀이 막 뒤따라왔지요.

그때 엄마가 늘 말씀하시던 게 생각이 났어요.
"위험할 때는 물에 뛰어들어."
그래서 커다란 연못에 풍덩 뛰어들어 겨우 도망쳤지요.
옛날의 그 할아버지 청개구리처럼 엄마 말씀 반대로
산으로 도망쳤다면 여러분에게 이 이야기를 못해 드릴 뻔했지 뭐예요?

"엄마! 엄마!"
엄마를 보니 너무 반가워서 눈물이 났어요.
"아니, 이 녀석! 나가지 말랬더니 또 말 안 듣고 나갔구나.
지저분하게 이 꼴이 뭐냐?"
엄마는 나를 깨끗이 씻겨서 옷을 갈아입혀 주셨어요.
"엄마, 이젠 엄마 말씀 잘 들을게요."

'이젠 자꾸만 엉뚱한 생각이 떠오르지 않으면 좋을 텐데….'

그림 이수정

82

계단아, 계단아!

"계단아, 계단아! 이 세상에서 누가 제일 싫으니?"
청소하던 아줌마가 묻습니다.
"내 얼굴에다 우유를 쏟는 아이가 싫어요.
얼굴에 이렇게 얼룩이 생겼잖아요."
계단이 대답하자 아줌마도 말합니다.
"나도 그래."

"계단아, 계단아! 넌 누가 또 싫으니?"
"내게 껌을 뱉고 가는 아이도 싫어요.
얼굴에 달라붙어서 잘 떨어지지 않잖아요."
"나도 그래."

"계단아, 계단아!
이 세상에서 누가 제일 좋으니?"
"청소해 주는 아줌마가 제일 좋아요."

"나도 닦으면 반짝반짝 빛나는 네가 좋아."
아줌마는 신이 나서 열심히 계단을 닦습니다.

그림 정지용

84

85

할머니 아기

"얘는 누구로?"
할머니는 요즘 보솜이만 보면 이렇게 묻습니다.
"할머니, 나 보솜이잖아."
"보솜이가 누구로?"
"할머니, 나 몰라?"
"너 뉘 집 애로?"

할머니가 보솜이의 인형을 가지고 노십니다.
"엄마, 요즘 할머니가 이상해요."
"응, 할머니가 편찮으셔서 그렇단다."
"그럼 병원에 가서 치료해야지."
"의사 선생님이 할머니는 나을 수
 없다고 하셨어."

87

할머니가 이불에 쉬를 하셨어요.
엄마가 할머니에게
기저귀를 채워 드렸어요.

"엄마, 할머니가 왜 이불에 쉬를 했어?"
"응, 할머니는 이제 아기가 되시는 거야."
"할머니가 왜 아기가 되시는데요?"
"할머니는 어른으로 고생하며 오래 사셨으니까
이제 아기처럼 편안하게 지내면서
하늘나라에 가실 준비를 하시는 거야."

보솜이는 과자를 가지고
할머니 방으로 갔습니다.
"할머니, 과자 줄까?"
"응. 그런데 너 누구로?"
"난 보솜이, 보솜이야. "
할머니는 맛있게 과자를 드셨어요.
"나 과자 더 줘!"
보솜이는 과자를 봉지째 할머니께 드렸어요.
예전에는 할머니가
과자를 봉지째 보솜이에게 주셨지요.

할머니는 과자 봉지를 쥔 채 잠이 드셨어요.
"자장 자장, 할머니 아기!"
보솜이는 할머니를 자장자장 해 드렸어요.
옛날에 할머니가 보솜이를 자장자장 해 주신 것처럼.

그림 백은희

90

91

우리 집에 괴물이 왔어요

드르렁드르렁 큭 푸우!
집안이 흔들흔들.
우리 집에 괴물이 왔나 봐요. 틀림없어요.
아니면 누가 이렇게 괴상한 소리를 내겠어요?
살짝 안방을 들여다보니 어쩌면 이상도 하지!
괴물이 우리 아빠하고 똑같이 생겼지 뭐예요?

쿠당! 소파가 들렸다가 놓이고
왈캉달캉! 싱크대에서 그릇들이 서로 부딪치고
휙! 아빠 와이셔츠가 세탁기 앞으로 날아가고.
우리 집에 괴물이 왔나 봐요. 틀림없어요.
아니면 누가 이렇게 난리를 칠 수 있겠어요?
살짝 엿보니 어쩌면 이상도 하지!
괴물이 우리 엄마하고 똑같이 생겼지 뭐예요?

"꼼짝마랏!"

나는 괴물을 잡으러 뛰어나갔어요.

보자기 망토를 뒤집어쓰고 칼을 휘두르며

아주 용감하게 괴물한테 덤볐지요.

"이런 괴물 같은 녀석, 왜 말썽이야? 빨리 방에 들어가!"

난 내 방으로 도망쳤어요.

　　아무래도 괴물을 이길 수 없을 것 같아서요.

　　"좀 일어나요. 일요일은 하루 종일 낮잠 자는 날이에요?"

　　"아, 왜 그래? 그럼 뭐 하는 날이야?"

　　"내 참, 기가 막혀서."

　　안방에서 싸우는 소리가 들렸어요.

　괴물끼리 싸울 때는 난 내 방에서 조용히 있어야 돼요.

　괴물들이 사라지고 아빠가 엄마랑 놀러 가자고 부르실 때까지.

　왜 그런지 일요일이면 가끔 우리 집에 괴물이 온다니까요.

그림 김현정

95

사람들이 많은 곳에서는 정말 재미있어!

음식점에서 잡기 놀이를 하면 얼마나 재미있는지 몰라.
의자 사이를 요리조리 빠져 나가면 아무도 날 못 잡거든.

백화점에 가면 얼마나 재미있는지 몰라.
침대 위에서 뛰어 보고 장난감도 가지고 놀고
뭐든지 마음대로 만져 봐도 되거든.

엄마하고 극장에 가면
처음에는 정말 재미가 없어.
자리에 가만히 앉아 있어야 하니까.
그래도 조금만 참으면 되지.
영화가 시작되기만 하면 캄캄한 통로에서
뛰어다니고 의자 밑으로 기어다녀도
엄마는 영화를 보느라고 가만히 놔 두거든.

우리 집에만 있으면 얼마나 재미 없는지 몰라.
밥 먹다가 잡기 놀이를 하면 엄마한테 혼나거든.
장난감 어질러 두고 침대에서 뛰면 엄마한테 혼나거든.
잠 안 자고 캄캄한 마루에서 기어다니면 엄마한테 정말 혼나거든.

그림 김유대

99

이 세상에 하나밖에 없는 아이

난 키가 작은 편이에요.
난 힘센 친구에게 맞을 때도 있어요.
난 사람들이 많이 있는 곳에서는 수줍음을 타요.

내가 친구에게 맞고 울면 모두들 이렇게 말하지요.
"바보같이 왜 다른 애한테 맞니?"
'내가 정말 바보일까?'
난 힘센 아이들처럼 다른 아이를 때려 줄 수는 없어.
그래도 난 괜찮아. 난 내 동생을 안아 줄 만큼은 힘이 있거든.

내가 사람들 앞에서 쭈뼛거리면 모두들 이렇게 말하지요.
"쟤는 너무 수줍음을 타서 큰일이야."
'수줍음을 타는 건 큰일일까?'

난 많은 사람들 앞에서 노래를 부를 수는 없어.
그래도 난 괜찮아. 난 우리 엄마 아빠 앞에서는 노래를 잘하거든.

난 키가 작고 잘생기지도 않았어.
'그러면 안돼?'
그래도 난 괜찮아. 우리 엄마 아빠는 이 세상에서 내가 제일 예쁘대.

힘센 아이도 있고 약한 아이도 있고
씩씩한 아이도 있고 수줍은 아이도 있고
키 큰 아이도 있고 키 작은 아이도 있고
서로 다르지만 모두가 이 세상에 하나밖에 없는
귀한 아이들이라고 우리 엄마는 말씀하셨어.

난 키가 작은 편이에요.
난 힘센 친구에게 맞을 때도 있어요.
난 사람들이 많이 있는 곳에서는 수줍음을 타요.
그래도 난 괜찮아.
나는 이 세상에 하나밖에 없는 나니까.

그림 백은희

101

동화로 쑥쑥 자라는 우리 아이들

우리 아이, 이것저것 가리지 않고 잘 먹는 튼튼한 아이가 되었으면.

세수도 혼자, 옷 입기도 혼자, 스스로 잘 하는 아이였으면.

친구들을 사랑하며 남에게 양보도 할 줄 알고,

동물들도 많이많이 사랑하는 따뜻한 마음을 가진 아이였으면.

아무 때나 울고 떼쓰는 아이가 아니였으면.

사람들이 많은 곳에서는 마음대로 뛰어다니지 않는, 참을 줄도 아는 아이였으면.

난 버릇없는 아이를 그대로 내버려 두는 부모가 되고 싶지 않아.
그렇다고 소리 지르고 아이를 두들겨 패는 부모는 더욱더 되고 싶지 않아.

아이에게 벌주지 않고도 좋은 버릇, 참한 생각을 길러 줄 수는 없을까?
아이 스스로 느끼고 배워서 바른 습관이 들도록 할 수는 없을까?

날 때부터 착한 아이, 날 때부터 나쁜 아이란 없습니다.

좋은 버릇을 가진 아이로 기르는 것은 부모님의 몫이지요.

매로 좋은 버릇을 가르치면 손쉽고 빠른 것 같지만 부모님이 원하지 않는

다른 흔적이 아이에게 남습니다. 눈치 보는 흔적, 혼날까 봐 거짓말하는 흔적,

부모님에게 들킬 염려가 없을 때는 정말 자제하지 않고 행동을 하는 등의 흔적들이 남지요.

스스로 느껴서 바른 행동을 하도록 하자면 아이가 하는 행동이 어떤 결과를 가져올 것인지를

아이 스스로 생각해 보게 하는 훈육이 필요합니다.

아이가 자신과 동일시할 수 있는 등장 인물의 행동과 그 결과를 대리 경험해 보게 하는

〈우리 아이 좋은 버릇 길러 주는 동화〉는

아이들 스스로 바른 버릇을 익히도록 도와 주기 위한 동화입니다.

아이들은 자신과 똑같이 바르지 못한 행동을 하는 이야기 주인공들의 행동에서

이 세상에서 자기만 나쁜 아이인 것은 아니구나 하는 안도감을 느끼게 되고,

거부감 없이 안심하고 글을 즐기게 되며 스스로 깨우쳐 바른 행동을 하려고 노력하게 됩니다.

아이에게 이 동화책을 읽어 주세요. 하지만 주인공처럼 바른 행동을 하기를 요구하거나

주인공이 왜 나쁜지 묻거나 하지 마세요. 질문하고 요구하고 해서 아이를 성가시게 만든다면

아이는 다시는 책을 읽고 싶어하지 않을 테니까요. 부모님이 다그치지만 않으면

아이는 즐거운 마음으로 스스로 무엇이 옳은 것인지를 깨닫게 될 것입니다.   최 재 숙

지은이 최재숙 선생님은 1951년 대구에서 태어나 이화여자대학교 영어영문학과, 중앙대학교 대학원 유아교육학과를 졸업(문학박사)하였고, 부산대학교, 중앙대학교에서 아동 문학을 강의하였습니다. 2001년 한국일보 신춘문예 시 부문에서 '꽃씨 하나가 꽃이 되려면' 으로 당선되었습니다. 작품으로는 동화집 〈무지개 꿈동산〉('온이의 손가락' 외 19권), 아기 동화집 〈이야기 친구〉 ('내 인형 뚜비' 외 9권), 음악 동화집 〈일찍 온 새싹 요정〉, 〈하마 아저씨의 감기〉, 〈엄마와 아이가 함께 읽는 이야기 - 전래동화편〉 등이 있습니다.

우리 아이
좋은 버릇 길러 주는
동화

2001년 3월 20일 개정판 8쇄 인쇄
2001년 3월 25일 개정판 8쇄 발행

발행인 김진용
CS 본부장 이순영
편집 책임 박춘옥
편집 진행 조일정, 박현주
디자인 책임 남정
디자인 진행 김현정
컴퓨터 그래픽 오경신, 이지우, 남상진, 최유진
컴퓨터 그래픽 어시스트 이은진, 김정희
제작 김용희, 김영준, 김진영

그린이 김유대, 김태미, 김현정, 백은희, 이수정, 이혜경, 정지용, 홍성지

펴낸곳 nSF 삼성출판사 서울특별시 서초구 서초동 1516-2
전화 (02)3470-6915 팩스 (02)598-3793 등록 제1-276호
홈페이지 www.nsf.co.kr

Printed in Korea

ISBN 89-15-01864-8-73800

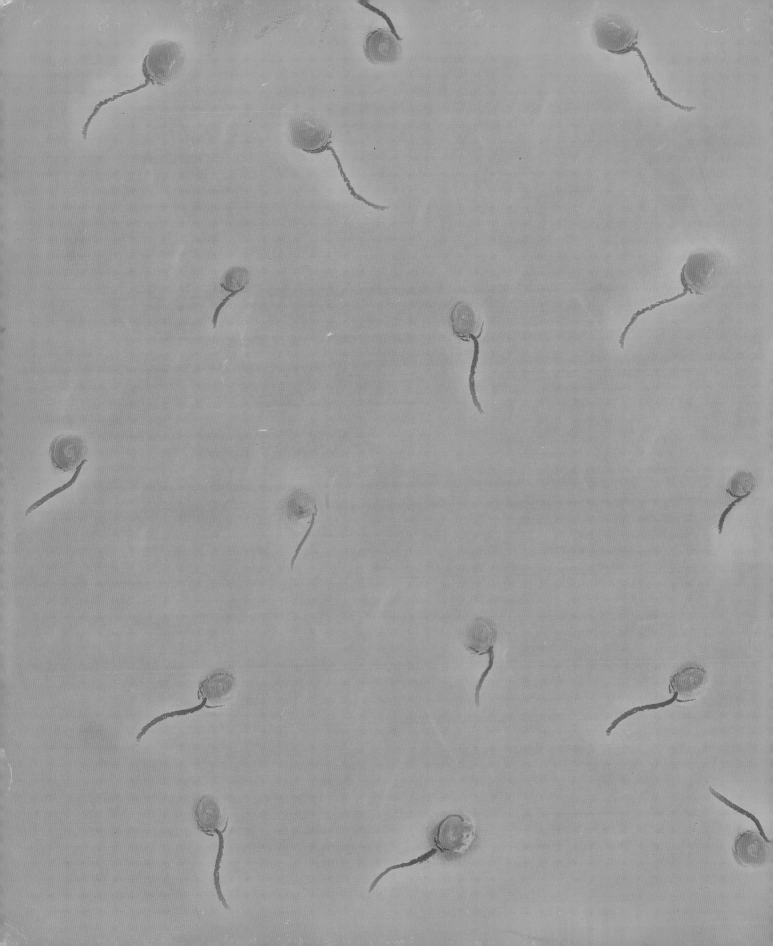